Y PUMP HYLL

Testun gan Julia Donaldson

Darluniau gan Axel Scheffler

Yn Affrica boeth y mae'r haul yn y nen.
Mae'r llew wrthi'n twtio y mwng gylch ei ben.
On'd ydi'r fflamingos yn binc ac yn ddel?
Mae'r cwdw a'r rheino a'r sebra yn swel
A'r llewpard yn lolian yn lluniaidd a slei.

O! mae pob creadur yn brydferth – ond hei!

Beth ydi'r peth hyll 'ma sy'n dwâd yn nes
Gan hercian a honcian yn simsan trwy'r gwres?
Does ryfedd ei fod o mor od a di-âm:
Mae'i heglau yn dila a'i ben ôl yn gam.

Hy, dim ond y gnŵ! Ni fu neb yn llai llon
Yn sathru trwy'r glaswellt a chanu'r gân hon:

"O! dwi yn hyll! Fi 'di'r hylla'n y byd!
Dwi'n od, dwi'n afrosgo, dwi'n giami o'r crud
A does gen i ddim be-chi'n-alw – dim hud.
O! dwi yn hyll! Fi 'di'r hylla'n y byd …

"Ond pwy ydi'r cr'adur hyll acw o 'mlaen?
Mae'n llawer iawn hyllach na fi, mae hi'n blaen!"

"Wel! Helô a Ha–Ha! Fi ydi'r haïna –
O bob cr'adur blin y fi ydi'r blina!
Dwi'n cyfarth ac udo o hyd yn ddi-daw
Ac mae sŵn fy chwerthin yn od ar y naw.
Dwi'n ysu, dwi'n chwysu, dwi'n farus, dwi'n drewi
A dwi'n crensian esgyrn am oriau heb dewi.
O dwi'n anobeithiol, dwi'n slob a dwi'n ffôl."

Ond gwaeddodd y gnŵ ...

"Beth am ddod ar fy ôl?"

Ymlaen â'r ddau hyll a fu neb yn llai llon
Yn baglu trwy'r tywod a chanu'r gân hon:

"Ni ydi'r ddau hylla fu 'rioed yn y tir.
Mae rhestr ein beiau'n ofnadwy o hir
A fyddwn ni byth yn selébs, mae hi'n glir.
Ni ydi'r ddau hylla fu 'rioed yn y tir …

"Ond pwy 'di'r peth hyll 'cw sy'n clwydo'n y coed?
Mae o'n llawer hyllach na ni hyd yn oed!"

"Myfi ydi'r fwltur. Dawch! Dawch! A haw-dw!
Fase neb byth yn talu i 'ngweld i mewn sw!
Mae pawb yn fy holi yn haerllug a hy
Pam fod fy mhen coch i heb flewyn na phlu.
Ond dyma sy'n gyrru pawb allan o'u co –
Dwi'n dwlu ar gig sydd 'di pydru ers tro.
Does dim deryn butrach ar dir nac ar fôr."

Ac meddai'r ddau arall …

"Brafô! Tyrd i'r côr!"

Ymlaen â'r tri hyll a fu neb yn llai llon
Yn sblasio trwy'r afon a chanu'r gân hon:

"Ni ydi'r tri hyll, y tri hylla'n y lle.
Does neb isio tynnu ein lluniau – no wê!
A fase neb call yn ein gwadd ni i de.
Ni ydi'r tri hyll, y tri hylla'n y lle ...

"Ond pwy ydi'r cr'adur na welson ei fath
Ynghanol y mwd 'cw a'r slwtsh yn cael bath?"

"Fi ydi'r baedd sgithrog! Dwi ddim yn beth clên
Efo dau bâr o sgithrau reit frwnt ar fy ngên.
Dwi'n rhechen bob munud, dwi'n drewi o ach
Ac mae blaen fy nghynffon fel brwsh eich tŷ bach.
Does ryfedd fy mod i yn grac ac yn flin –
Mae pryfed glas pigog yn brathu fy nhin.
A dwi'n gorfod molchi mewn llaca a llaid."

Ac meddai'r tri arall …

"Ymuna â'r blaid!"

Ymlaen â'r rhai hyll a fu neb yn llai llon
Yn dychryn yr adar a chanu'r gân hon:

"Ni ydi'r rhai hyll, y rhai hylla yn bod.
Does neb yn y byd 'ma yn canu ein clod,
Ond gwasgu eu trwynau pan fyddwn ni'n dod.
Ni ydi'r rhai hyll, y rhai hylla yn bod …

"Ond beth yn y byd ydi'r sgempyn fan hyn
Sy'n tyrchu am ginio o waelod hen fùn?"

"Hoi! Peidiwch cael braw! Fi 'di'r storc marabŵ
Sydd yn hoffi slotran mewn sothach a phw.
Mae 'mhig yn afrosgo, mae 'nghoese'n rhy fain.
Mae'r pwrs dan fy ngwddw yn berwi o chwain.
Ac os na cha' i ginio o chwilod a chig
Bydd pethe fel sgidie yn mynd lawr fy mhig.
Ond pam dwi mor hyll? Wel does gen i ddim cliw!"

Fe waeddodd y pedwar …

"Hei-ho! Tyrd i'r criw!"

Ymlaen â'r pump hyll a fu neb yn llai llon
Yn taflu cysgodion a chanu'r gân hon:

"Ni ydi'r pump hylla fu 'rioed dan y nen.
Mae pawb ymhob man yn gwneud hwyl am ein pen.
O diar! O diar! Mae hi bron yn Amen.
Ni ydi'r pump hylla fu 'rioed dan y nen.

"Ond, hei!
   'Rhoswch funud.
      Beth nawr sydd ar droed?
       A phwy sydd yn dŵad
       O ganol
        Y coed?"

"Helô! Ni ydi'ch plant chi a chi ydi Mam!
'Dych chi yn ein cadw ni'n ddiogel rhag cam.
'Dych chi'n pigo ein plu a llyfnu ein croen.
'Dych chi'n gwella'n hannwyd a mendio ein poen.
'Dych chi'n gwneud ein brecwast, ein cinio a'n te
A 'dyn ni'n eich caru fel dwn-i-ddim-be.
Mae pob un ohonoch yn brydferth fel gem.
'Dych chi yn selébs! Chi 'di'r *crème de la crème*.

'Dych chi'n fwyn a chariadus, yn llawen a llon
A dyna paham 'dyn ni'n canu'r gân hon:

"Chi ydi'r pump pertaf, y pertaf yn bod!
'Dyn ni yn dweud diolch a chanu eich clod.
I dyfu i fyny fel chi ydi'n nod –

Chi ydi'r pump gorau, y gorau yn bod!"

Pa anifeiliaid basech chi'n hoffi cwrdd â nhw ar saffari yn Affrica?

Mae'r **Pump Mawr** yn grand iawn ond nhw ydi'r anifeiliaid mwyaf peryglus ar y paith.

Beth am geisio gweld y **Pump Bach**? Dyma rai o'r anifeiliaid lleiaf sydd i'w gweld ar y paith.

Llew

Gwehydd y byffalo

 Llewpard

Crwban llewpard

Rheinoseros

Morgruglew

 Byffalo

Chwilen ryncorniog

Eliffant

Chwistlen drwynog

Basech chi'n lwcus iawn i weld y **Pump Swil.**
Maen nhw'n rhai da iawn am guddio,
gan fentro allan yn ystod y nos.

Neu beth am y **Pump Hyll**? Mae rhai pobl
yn dweud mai nhw ydi'r anifeiliaid mwyaf hyll yn
Affrica. Mae eraill yn meddwl eu bod nhw'n wych.
Beth rydych chi'n feddwl?

Baedd Daear

Fwltur

 Porciwpein

Haïna

Blaidd Daear

Gnŵ

 Mîrcat

Storc Marabŵ

Llwynog Hirglust

Baedd Ysgithrog

I'r fforestwr Lucky
A'r traciwr Charlie – J.D.

Testun © Julia Donaldson 2017
Lluniau © Axel Scheffler 2017
Y cyhoeddiad Cymraeg © 2018 Gwasg y Dref Wen Cyf.

Mae Julia Donaldson ac Axel Scheffler wedi datgan eu hawl
i gael eu cydnabod fel awdur ac arlunydd y gwaith hwn
yn unol â deddf Hawlfraint, Dyluniadau a Phatentau 1988.

Cyhoeddwyd gyntaf yn Saesneg yn 2017
gan Alison Green Books
argraffnod o Scholastic Children's Books
24 Eversholt Street, Llundain NW1 1DB
dan y teitl *The Ugly Five*
Cyhoeddwyd yn Gymraeg 2018 gan Wasg y Dref Wen Cyf.
28 Ffordd yr Eglwys, Yr Eglwys Newydd,
Caerdydd CF14 2EA
Ffôn 029 20617860.
Cyhoeddwyd gyda chymorth ariannol
Cyngor Llyfrau Cymru.

Argraffwyd yn Malaysia.